ایلی کی خفیہ ڈائری

Ellie's ~~My~~ Secret Diary

Henriette Barkow & Sarah Garson

Urdu translation by Qamar Zamani

پیاری ڈائری

اتوار کی صبح-۳۰:۷ بجے

رات میں نے بہت بُرا خواب دیکھا۔ میں بھاگ رہی تھی۔

ایک بڑا سا شیر میرا پیچھا کر رہا تھا۔

میں اور تیزی سے بھاگنے لگی، اور تیزی سے، لیکن اِس سے بچ نہیں پائی۔

وہ بہت قریب پہنچ رہا تھا اور پھر۔۔۔ میری آنکھ کھل گئی۔

میں نے فلو کو اپنے بازوؤں میں لے لیا۔ اِس سے مجھے تحفظ کا احساس ہوتا ہے۔

اُس کو معلوم ہے کہ کیا ہو رہا ہے۔ میں اِس کو بتا سکتی ہوں۔

بُرے خواب نظر آتے رہتے ہیں۔ پہلے تو ایسا نہیں ہوتا تھا۔

میری بہت سے سہیلیاں تھیں جیسے سارہ اور جینی۔

سارہ نے مجھ سے دُکان تک چلنے کو کہا لیکن۔۔۔ جب سے 'وہ' آئی ہے اسکول دوزخ بن گیا ہے۔

مجھے اُس سے نفرت ہے۔ بے حد نفرت ہے!!!

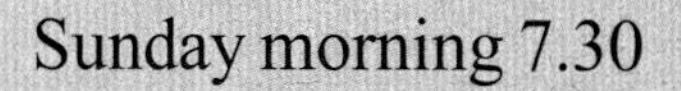
Sunday morning 7.30

Dear Diary

Had a bad dream last night.
I was running ... and running.
There was this huge
tiger chasing me.
I was running faster and faster but
I couldn't get away.
It was getting closer and then ...
I woke up.

I held Flo in my arms. She makes me feel safe
- she knows what's going on. I can tell her.

Keep having bad dreams.
Didn't used to be like that.
I used to have loads of friends – like Sara and Jenny.
Sara asked me to go to the shops but ...

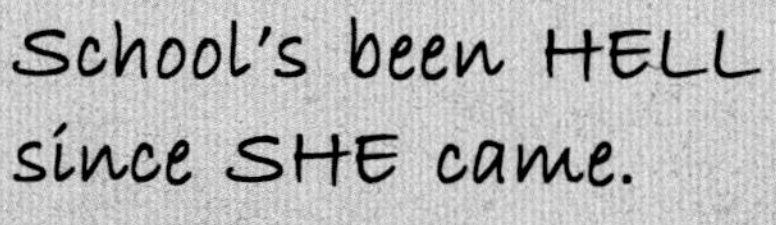
School's been HELL
since SHE came.

I hate hate
HATE her!!!!

Sunday evening 20.15

DEar Diary

Went to Grandad's.
Lucy came and we climbed the big tree.
We played pirates.
School 2morrow.
Don't think I can face it.
Go to school and
see HER!

SHE'll be waiting. I KNOW she will.

Even when she isn't there I'm scared
she'll come round a corner.
Or hide in the toilets like a bad smell.
Teachers never check what's going
on in there!

If ONLY I didn't have to go.

Flo thinks I'll be ok.

اتوار کی شام - ۸:۱۵ بجے

پیاری ڈائری

دادا کے گھر گئی۔

لُوسی بھی ساتھ تھی۔ ہم اُونچے درخت پر چڑھے۔

ڈاکوؤں کا کھیل کھیلا۔ کل اسکول ہے۔

میرا خیال ہے میں اتنی ہمت نہیں کر سکوں گی کہ اسکول جاؤں اور اُس کا سامنا کروں۔

وہ انتظار کر رہی ہو گی۔ مجھے معلوم ہے یہی ہو گا۔

وہ جب وہاں ہوتی ہے تب بھی مجھے یہ ڈر ہوتا ہے کہ

وہ کسی کونے سے نکل کر آ جائے گی۔

یا غسلخانے میں کسی بدبو کی طرح چھپی ہو گی۔

اُستانیاں کبھی نہیں دیکھتی ہیں کہ وہاں کیا ہو رہا ہے۔

کاش مجھے اسکول نہ جانا ہوتا۔

فلو کا خیال ہے مجھے کچھ نہیں ہو گا۔

پیر کی صبح - ۷:۰۵ بجے

وہ خواب میں نے پھر دیکھا۔ فرق یہ تھا کہ اِس دفعہ 'وہ' میرا پیچھا کر رہی تھی۔
میں بھاگنے کی کوشش کر رہی تھی لیکن وہ قریب آتی جا رہی تھی
اور اُس کا ہاتھ میرے کندھے تک پہنچ گیا تھا۔۔۔
اتنے میں میری آنکھ کھل گئی۔
مجھے اُبکائی آ رہی تھی لیکن میں نے زبردستی ناشتہ کیا تاکہ امّاں کو یہ شک نہ ہو کہ کچھ گڑبڑ ہے۔

میں امّاں کو نہیں بتا سکتی۔
اِس سے بات اور بگڑ جائے گی۔
کسی کو بھی نہیں بتا سکتی۔
لوگ سوچیں گے میں بزدل ہوں۔ حالانکہ میں بزدل نہیں ہوں۔

بس ساری گڑبڑ اِس لڑکی کی وجہ سے ہے۔
اور جو کچھ وہ میرے ساتھ کرتی ہے۔

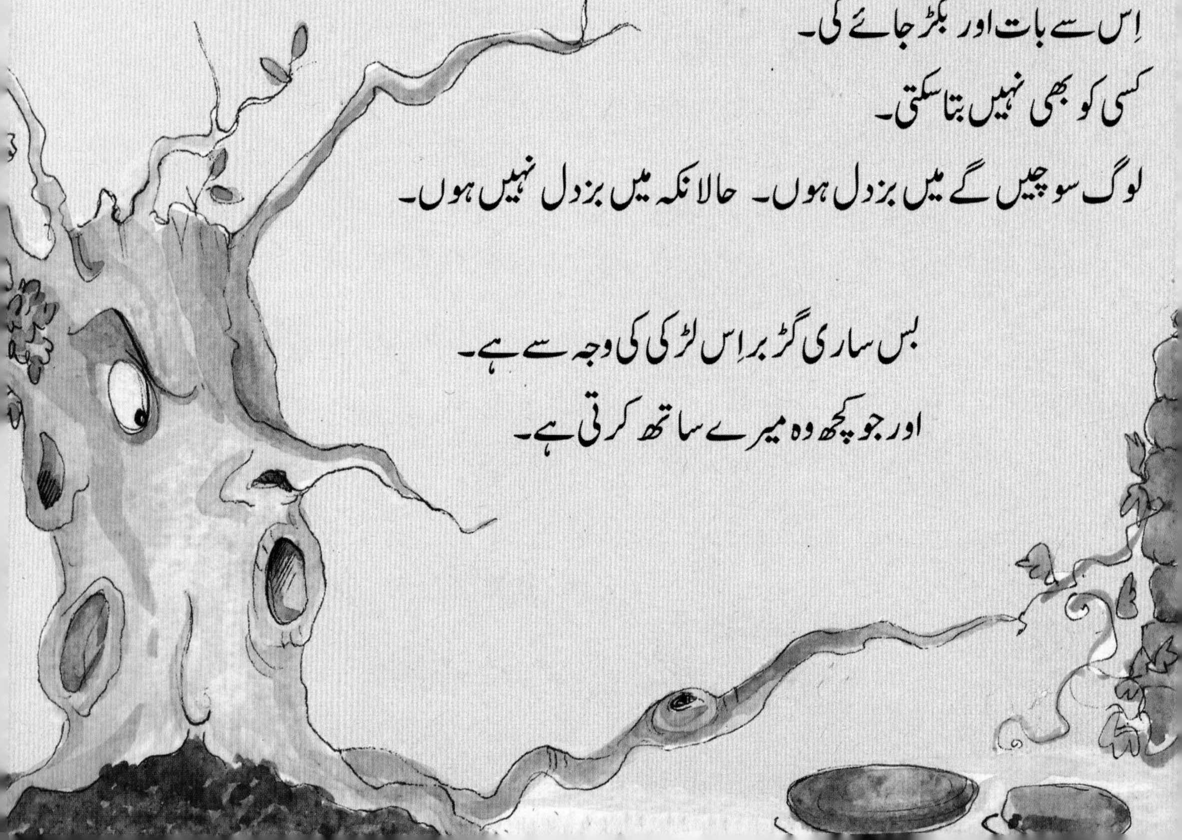

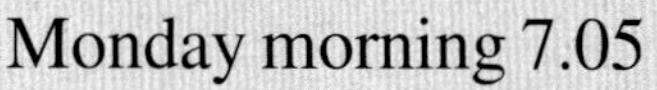

Monday morning 7.05

I had that dream again.
Only this time it was HER who was chasing me. I was trying to run away but she kept getting closer and her hand was just on my shoulder ... then I woke up.

I feel sick but I made myself eat breakfast, so mum won't think anything's up.
Can't tell mum – it'll just make it worse.
Can't tell anyone.
They'll think I'm soft and I'm not.

It's just <u>that girl</u>
and what SHE does to me.

پیاری ڈائری

پیر کی شام - ۸:۳۰ بجے

وہ وہاں موجود تھی۔ انتظار میں۔

اسکول کے بالکل قریب، جہاں اُسے کوئی دیکھ نہیں سکتا۔

اُس نے مجھے بازو سے پکڑ لیا اور اُس کو میری کمر کی طرف لیجا کر زور سے مروڑا۔

وہ بولی اگر میں اُسے پیسے دے دوں گی تو وہ مجھے نہیں مارے گی۔

میرے پاس جو کچھ بھی تھا اُس کو دے دیا۔ میں مار پیٹ نہیں چاہتی تھی۔

"میں تمہیں کل سمجھ لوں گی!" وہ بولی اور جانے سے پہلے مجھے زور سے دھکا دیا۔

مجھے بے حد تکلیف ہوئی۔ میرے پسندیدہ ٹراؤزر بھی پھٹ گئے۔

امّاں سے کہہ دیا کہ میں گر گئی تھی۔ اُنہوں نے اُن کو سی دیا۔

میرا دل چاہتا ہے سارہ اور جینی کو بتا دوں لیکن وہ شاید سمجھ نہ پائیں۔

میں خوش ہوں کہ میرے پاس تم اور
فلو ہو جس سے میں بات کر سکتی ہوں۔

Dear D

Monday evening 20.30

SHE was there. **Waiting.**

Just round the corner from school where nobody could see her. SHE grabbed my arm and twisted it behind my back.

Said if I gave her money she wouldn't **hit me.**

I gave her what I had. I didn't want to be hit.

"I'll get you tomorrow!" SHE said and pushed me over before she walked off.

It hurt like hell. She ripped my favourite trousers!

Told mum I fell over.

She sewed them up.

I feel like telling Sara or Jenny but they won't understand!!

Glad I've got you and Flo to talk to.

منگل کی صبح -۷:۳۰ بجے

رات بالکل نیند نہیں آئی۔

بس یونہی پڑی رہی۔ ڈر کی وجہ سے نیند نہیں آ رہی تھی اِس ڈر سے نیند نہیں آئی کہ

دوبارہ وہی خواب نظر آئے گا۔ وہ میرا انتظار کر رہی ہو گی۔

وہ ہمیشہ میرے پیچھے ہی کیوں پڑی رہتی ہے؟ میں نے اُس کا کچھ نہیں بگاڑا۔

شاید مجھے نیند آ ہی گئی کیونکہ جب آنکھ کھلی تو دیکھا امّاں مجھے جگا رہی تھیں۔

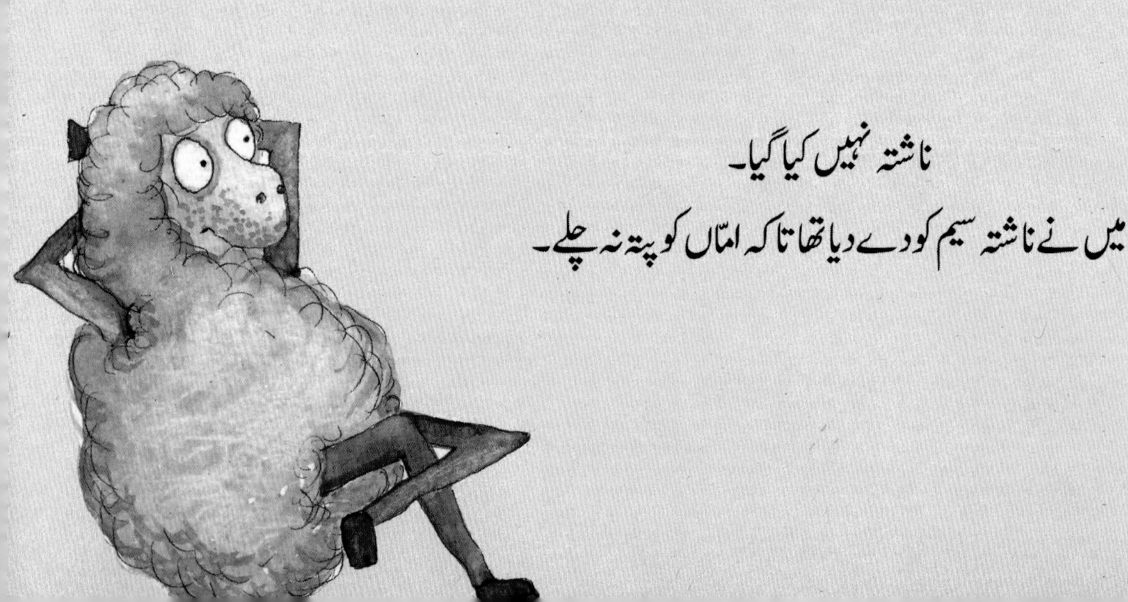

ناشتہ نہیں کیا گیا۔

میں نے ناشتہ سیم کو دے دیا تھا تاکہ امّاں کو پتہ نہ چلے۔

Tuesday morning
7.30

Couldn't sleep last night.
Just lay there. Too scared to go to sleep.
Too scared I'd have that dream again.
SHE'll be waiting for me. Why does she always
pick on ME? I haven't done anything to her.
Must have dropped off, cos next thing
mum was waking me.

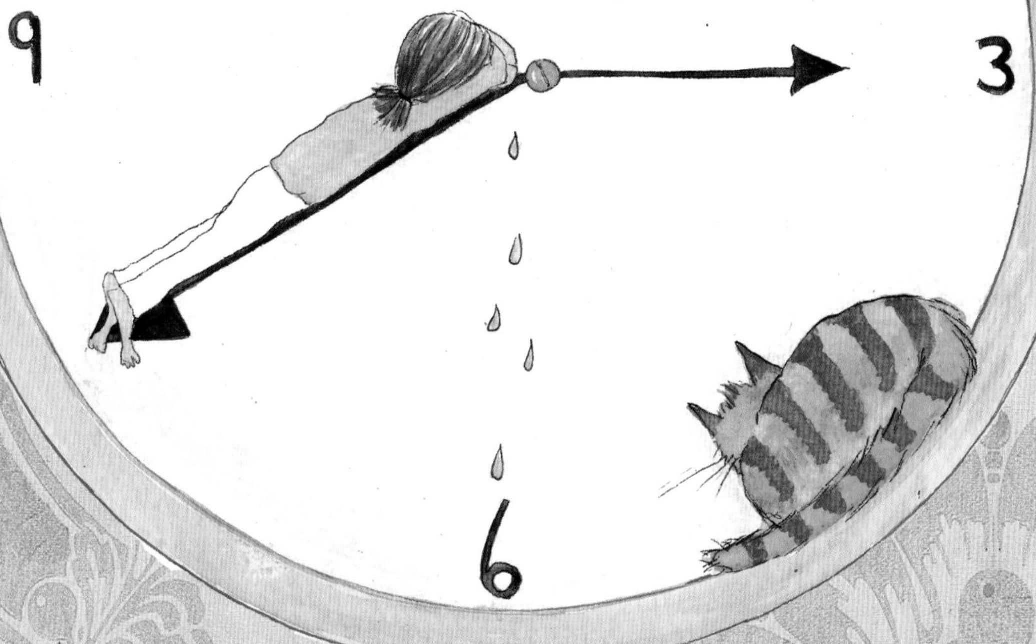

Couldn't eat breakfast.
Gave it to Sam so mum wouldn't notice.

منگل کی شام - ۸:۰۰ بجے

اُس نے اسکول کے باہر تک میرا پیچھا کیا۔

اتنی بڑی اور طاقتور۔

اُس نے میرے بال کھینچے۔

میں چیخنا چاہتی تھی لیکن اُس کو یہ تسکین نہیں دینا چاہتی تھی۔

"تم میرے پیسے لائی ہو؟" اُس نے مجھ پر تھوکا۔

میں نے نفی میں سر ہلایا "اچھا میں یہ لے لوں گی" اُس نے میرا

ورزش کا تھیلا چھینتے ہوئے دانت پیسے "جب تک تم مجھے پیسے نہیں دو گی۔"

میرا دل چاہتا تھا اُس کی اچھی طرح خبر لوں! اُس کے موٹے چہرے پر گھونسے ماروں!

لیکن میں کیا کرتی؟ میں اُس کو مار نہیں سکتی۔

کیونکہ وہ مجھ سے بہت بڑی ہے۔

میں اماّں یا ابّا سے پیسے نہیں مانگ سکتی کیونکہ وہ پوچھیں گے مجھے اُن کی کس لئے ضرورت ہے۔

Tuesday evening 20.00

SHE followed me out of school – all big and ~~tuff~~ tough.
SHE pulled my hair. Wanted to scream but I didn't want to give her the satisfaction.
"You got my money?" SHE spat at me.
Shook my head. "I'll have this," SHE snarled, snatching my PE bag, "til you give it to me."
I'd love to give it to her! Feel like punching her fat face!
What can I do? I can't hit her cos she's bigger than me.

I can't ask mum or dad for the money cos they'll want to know what it's for.

بدھ کی صبح - ۳۰:۵ بجے

ڈائری آج میں نے ایک بہت بُری حرکت کی۔

بے حد بُری!

اگر امّاں کو پتہ چل گیا تو وہ نہ جانے کیا کریں گی۔

لیکن میری خیر نہیں ہو گی۔ اُس کا تو یقین ہے۔

کل رات میں نے امّاں کا بٹوہ میز پر رکھا دیکھا۔

میں اکیلی تھی اور میں نے اُس میں سے پانچ پونڈ نکال لئے۔

میں اُن کو جتنی جلدی ممکن ہو گا واپس رکھ دوں گی۔

میں اپنے جیب خرچ میں سے بچاؤں گی۔

کوشش کروں گی کہ کہیں کام کر کے کچھ رقم جمع کروں۔

خدا کرے امّاں اِس رقم کی کمی محسوس نہ کریں۔

وہ تو آسمان سر پر اُٹھالیں گی!

Wednesday morning 5.30

Diary, I've done something bad.

Really bad!

If mum finds out I don't know what she'll do.
But I'll be in big trouble - for sure.

Last night I saw mum's purse on the table.
I was on my own and so I took £5.

I'll put it back as soon as I can.
I'll save my pocket money.
I'll try and earn some money.

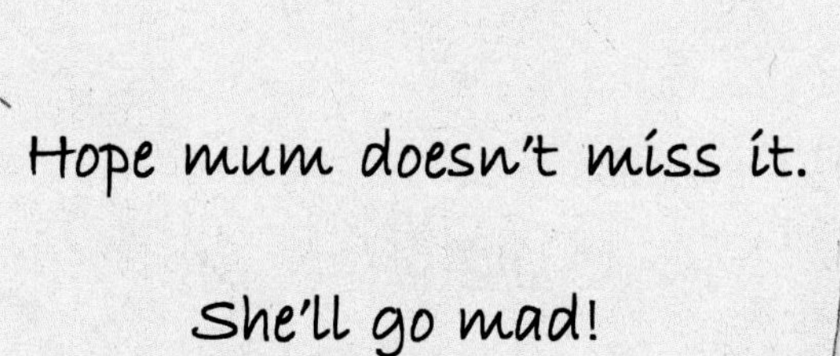

Hope mum doesn't miss it.

She'll go mad!

بدھ کی شام - ۷:۴۷ بجے

یہ میری زندگی کا بدترین دن تھا!

نمبر ایک: مجھ پر ڈانٹ پڑی کیونکہ میرے پاس ورزش کی چیزیں نہیں تھیں۔

نمبر دو: میں نے گھر پر سکول کا کام نہیں کیا تھا۔

نمبر تین: وہ پہلو کی طرف پھاٹک پر کھڑی تھی۔ انتظار میں۔

اُس نے میرا بازو مروڑا اور پیسے لے لئے۔

میرا تھیلا کیچڑ میں پھینک دیا۔

نمبر چار: اُس کو اور پیسے چاہئے ہیں۔

میں اور نہیں لا سکتی۔

میں نے اماں کے پیسے بھی چُرائے ہوئے ہیں۔

میری سمجھ میں نہیں آتا اَب کیا کروں۔

کاش میں پیدا ہی نہیں ہوتی!!

Wednesday evening 19.47

جمعرات کی صبح - ۸:۱۵ بجے

یقین نہیں آتا۔

امّاں کو پتہ چل گیا ہے!!

اُنہوں نے پوچھا کیا کسی نے اُن کا پانچ پونڈ کا نوٹ دیکھا ہے۔
ہم سب نے نفی میں جواب دیا۔
میں اور کیا کہہ سکتی تھی؟

مجھے بہت بُرا محسوس ہو رہا ہے' بے حد بُرا۔ مجھے جھوٹ سے نفرت ہے۔
امّاں نے کہا وہ مجھے لیکر اسکول جائیں گی۔
کم از کم میں چھٹّی کے وقت تک تو محفوظ رہوں گی۔

Thursday morning 8.15

I can't believe it. Mum's found out!!

She wanted to know if anybody had seen her £5 note.
We all said no.
What else could I say?

I feel bad, really bad. I hate lying.
Mum said she's taking me to school.
At least I'll be safe til home time.

Thursday evening 18.30

On the way to school mum asked me if I took the money.
She looked so sad.
I had thought of lying but seeing her face I just couldn't.
I said yes and like a stupid idiot burst into tears.
Mum asked why?
And I told her about the girl and what she'd been doing to me. I told her how scared I was.
I couldn't stop crying.
Mum held me and hugged me.

When I'd calmed down, she asked, if there was anyone at school I could talk to?
I shook my head.
She asked if I would like her to talk to my teacher.

جمعرات کی شام - ۶:۳۰ بجے

اسکول کے راستے میں امّاں نے پوچھا کہ کیا میں نے وہ رقم لی تھی۔

وہ اتنی اُداس لگ رہی تھیں۔

پہلے میں نے سوچا تھا جھوٹ بول دوں گی لیکن اُن کا چہرہ دیکھ کر میں ایسا نہیں کر سکی۔

میں نے اقرار کر لیا اور پھر ایک بے وقوف احمق کی طرح رونا شروع کر دیا۔

امّاں نے پوچھا میں نے ایسا کیوں کیا۔

میں نے اُن کو اُس لڑکی کے متعلق بتایا کہ وہ میرے ساتھ کیا سلوک کرتی رہی ہے۔

میں نے اُن کو بتایا کہ میں کس قدر ڈری ہوئی تھی۔

میرے آنسو نہیں بند ہو رہے تھے۔

امّاں نے مجھے بازوؤں میں لے کر گلے لگایا۔

جب میں ذرا پُر سکون ہوئی تو اُنہوں نے پوچھا کہ اسکول میں کوئی شخص ایسا تھا جس سے میں بات کر سکتی تھی؟

میں نے نفی میں سر ہلایا۔

اُنہوں نے پوچھا کہ کیا میں یہ پسند کروں گی کہ وہ میری اُستانی سے بات کریں۔

Friday morning 6.35

Dearest Diary

Still woke up real early but

I DIDN'T HAVE THAT DREAM!!

I feel a bit strange. Know she won't be in school - they suspended her for a week. What if she's outside?

My teacher said she did it to others - to Jess and Paul.

I thought she'd only picked on me.
But what happens if she's there?

جمعہ کی صبح -۶:۳۵ بجے

بہت پیاری ڈائری

آج بھی میری آنکھ صبح سویرے ہی کھل گئی لیکن

میں نے وہ بھیانک خواب نہیں دیکھا تھا!!

مجھے بے حد عجیب لگ رہا ہے۔ مجھے معلوم ہے وہ اسکول میں نہیں ہو گی۔
اُس کو ایک ہفتے کے لئے اسکول آنے سے روک دیا گیا ہے۔
اگر وہ باہر ہوئی تو کیا ہو گا؟

میری اُستانی نے بتایا کہ اُس نے یہ حرکت دوسروں کے ساتھ بھی کی ہے۔
جیس اور پال کے ساتھ۔

میں سوچتی تھی وہ صرف میرے ہی پیچھے پڑی ہوئی ہے۔
لیکن اگر وہ وہاں مل گئی تو کیا ہو گا؟

Friday evening 20.45

She really wasn't there!!!
I had a talk with a nice lady who said I could talk to her at any time. She said that if anyone is bullying you, you should try and tell somebody.
I told Sara and Jenny. Sara said it had happened to her at her last school. Not the money bit but this boy kept picking on her.

We're all going to look after each other at school so that nobody else will get bullied. Maybe it'll be ok.
When I got home mum made my favourite dinner.

جمعہ کی شام - ۸:۴۵ بجے

وہ واقعی وہاں نہیں تھی!!!

ایک نہایت اچھی خاتون سے میری بات چیت ہوئی اور اُنہوں نے کہا میں جب چاہوں اُن سے بات کر سکتی ہوں۔ وہ کہنے لگیں کہ اگر کوئی دھمکیاں دے رہا ہو تو کسی نہ کسی کو بتانے کی کوشش ضرور کرنی چاہیئے۔ میں نے سارہ اور جینی کو بتایا۔

سارہ نے کہا کہ اُس کے ساتھ بھی پچھلے اسکول میں یہی ہوا تھا۔

پیسے لینے والی بات نہیں تھی لیکن ایک لڑکا تھا جو ہر وقت اُس کو ستاتا تھا۔

اَب ہم اسکول میں ایک دوسرے کی حفاظت کریں گے تاکہ کوئی اِس طرح دوسروں کی دھونس اور دھمکیاں نہ سہے۔ لگتا ہے سب کچھ ٹھیک ہو جائے گا۔

جب میں گھر پہنچی تو امّاں نے میرا پسندیدہ کھانا بنایا۔

ہفتے کی صبح -۸:۵۰ بجے

پیاری ڈائری

نہ اسکول ہے!! نہ بُرے خواب ہیں!!

میں نے انٹرنیٹ پر دیکھا کہ اِس طرح دھمکیوں کے سینکڑوں واقعات ہیں۔
میں نہیں سمجھتی تھی کہ یہ بات اتنی عام ہے لیکن ایسا تو ہر وقت ہوتا رہتا ہے!
یہاں تک کہ بڑے لوگوں کو اور مچھلیوں کو بھی اِس کا سامنا کرنا پڑتا ہے۔
کیا تمہیں پتہ ہے کہ مچھلیاں دھونس کے دباؤ سے مر بھی جاتی ہیں۔
ہر جگہ طرح طرح کے مددگار ادارے اور ٹیلی فون کے رابطے ہیں۔
لوگوں کے لئے، مچھلیوں کے لئے نہیں!!

کاش مجھے پتہ ہوتا!

Saturday morning 8.50

Dear Diary

No school!! No bad dreams!!

Had a look on the net and there was loads about bullying. I didn't think that it happened often but it happens all the time!

Even to grown-ups and fishes. Did you know that fishes can die from the stress of being bullied?

There are all kinds of helplines and stuff like that - for people, not fishes!!

I wish I'd known!

ہفتے کی شام - ۹:۰۵ بجے

ابّا مجھے اور سیم کو ایک فلم دکھانے لے گئے۔ وہ بہت مزیدار تھی۔
ہم خوب ہنسے۔
سیم جاننا چاہتا تھا کہ میں نے اُس کو کیوں نہیں بتایا کہ میرے ساتھ کیا ہو رہا تھا۔
"میں اُس کا چہرہ مکّوں سے تباہ کر دیتا!" وہ بولا۔
"ایسا کرنے سے تم خود دھونس جمانے والے بن جاتے!" میں نے اُس کو بتایا۔

Saturday evening 21.05

Dad took me and Sam to see a film. It was really funny. We had such a laugh.

Sam wanted to know why I never told him about what was going on.

"I would have smashed her face!" he said.

"That would just have made you a bully too!" I told him.

What Ellie found out about bullying:

If you are bullied by anyone in any way IT IS NOT YOUR FAULT!
NOBODY DESERVES TO BE BULLIED!
NOBODY ASKS TO BE BULLIED!

There are many ways in which somebody can be bullied.
Can you name the ways in which Ellie was bullied?
Here is a list of some of the ways children are bullied:

- being teased
- being called names
- getting abusive messages on your mobile phone
- getting hate mail either on email or by letter
- being ignored or left out
- having rumours or lies spread about you
- being pushed, kicked, shoved or pulled about
- being hit or punched or hurt physically in any way
- having your bag or other belongings taken and thrown about
- being forced to hand over money or your belongings
- being attacked because of your race, religion or the way you speak or dress

Ellie found that it helped to keep a diary of what was happening to her.
It's a way of keeping a record of dates and times when things occurred.
It's also a way of not bottling everything up. It is important that you try and tell somebody what is going on.
Maybe you could try talking to a friend who you trust.
Maybe you could try talking to your mum or dad, sister or brother.
Maybe there is a teacher at school who you feel comfortable talking to.
Most schools have an anti-bullying policy and may have somebody (like the kind lady Ellie mentions in her diary) to talk to.

Here are some of the helplines and websites that Ellie found:

Helplines:

CHILDLINE 0800 1111

KIDSCAPE 020 7730 3300

NSPCC 0808 800 5000

Websites:

In the UK:
www.bbc.co.uk/schools/bullying
www.bullying.co.uk
www.childline.org.uk
www.dfes.gov.uk/bullying
www.kidscape.org.uk/info

In Australia & New Zealand:
www.kidshelp.com.au
www.bullyingnoway.com.au
ww.nobully.org.nz

In the USA & Canada:
www.bullying.org
www.pta.org/bullying
www.stopbullyingnow.com

If you want to read more about bullying there are many excellent books so just check your library or any good bookshop.

Books in the *Diary Series*:
Bereavement
Bullying
Divorce
Migration

A CIP catalogue record for this book is available from the British Library

First published 2004 by Mantra Lingua
Global House, 303 Ballards Lane
London N12 8NP
www.mantralingua.com